ALFAGUARA

INFANTIL Y JUVENIL

© 2009, Mario Santana

Ilustraciones de David Martínez y Joseph Candelaria

© De esta edición:
2009 – Ediciones Santillana, Inc.
avda. Roosevelt 1506,
Guaynabo, Puerto Rico, 00968

Impreso en México
Impreso por Editorial Impresora Apolo
ISBN: 978-1-60484-609-6

Dirección de la colección: Neeltje van Marissing
Edición: D. Lucía Fayad Sanz
Corrección: Patria B. Rivera Reyes
Asesoría pedagógica: Lilly R. Cruz
Supervisión lingüística: Dra. Rosario Núñez de Ortega

Una editorial del Grupo Santillana que edita en:
• Argentina • Bolivia • Brasil • Chile • Colombia
• Costa Rica • Ecuador • El Salvador • España
• Estados Unidos • Guatemala • Honduras • México
• Panamá • Paraguay • Perú • Portugal • Puerto Rico
• República Dominicana • Uruguay • Venezuela

Lucas, el guardabosques y el Julián Chiví

Mario Santana
Ilustraciones de David Martínez y
Joseph Candelaria

El bosque de nuestra historia se llama El Bosque del Pueblo. Es un lugar lleno de seres maravillosos, que merecen nuestro más profundo respeto.

Uno de los habitantes de este bosque es el Julián Chiví, un ruiseñor que se diferencia de cualquier otro por su canto. Cuando él canta, dice: "Julián Chiví, Julián Chiví". Es un canto muy, muy bonito.

Nuestro protagonista se llama Lucas, un niño de diez años.

El verano pasado, Lucas visitó, junto con otros niños, El Bosque del Pueblo. Jugaron, nadaron y exploraron. ¡Cómo se divirtieron!

Lo único raro era el guardabosques, un hombre muy, muy viejo, con una barba muy, muy blanca.

De repente, lo veían y, de repente, desaparecía. ¡Lucas y sus amigos decían que era como un fantasma!

Antes de que Lucas y sus amigos regresaran a sus casas, el guardabosques les preguntó a cada uno:

—¿Qué has aprendido del bosque?

—Que las flores se levantan cada mañana bañadas por el rocío —dijo María.

—Que hay insectos que hacen sus casitas debajo de las piedras —dijo José.

—Que los lagartijos suben y bajan muy rápido por los árboles —dijo Juan.

—Que las abejas pican una flor y, después, otra y otra más —dijo Yara.

Al oír cada respuesta, el guardabosques sonreía y movía la cabeza en señal de aprobación.

Un sonido muy tenue llamó su atención. Entonces, le preguntó a Lucas qué se llevaba del bosque. Lucas no tuvo más remedio que abrir su mochila. Adentro, había un Julián Chiví encerrado.

—¿Me da permiso de llevármelo? —rogó Lucas.

—No soy dueño del bosque —contestó el guardabosques.

—Pero usted es el guardabosques.

—No te puedo dar permiso para que te lleves lo que solo al bosque pertenece.

—¡Es que me gusta mucho este pajarito! —explicó Lucas—. Él y sus hermanos cantan "Julián Chiví, Julián Chiví". Quiero llevármelo a mi casa.

—Ya sabes cuál es la regla —dijo el guardabosques—. No puedes llevarte nada que sea del bosque.

—¡Pero el bosque está lleno de Julián Chivís! ¿Cómo puede hacerle daño que yo me lleve uno?

—¿Crees que el Julián Chiví será feliz en tu casa? —preguntó el guardabosques.

—¡Claro!, mi casa es muy bonita.

—En ese caso, ¿puedo pasar por tu casa?

—Está bien —contestó Lucas.

Pero Lucas no creyó que el guardabosques fuera a visitarlo. Él vivía muy lejos, y el guardabosques era un hombre muy viejo.

Al día siguiente, Lucas estaba jugando fútbol en su patio.

—¿Cómo está el Julián Chiví? —preguntó el guardabosques de repente.

Lucas se asustó mucho, porque no lo esperaba.

—El Julián Chiví está... bien... —contestó.

—Pero tiene el pico roto de tanto picotear la jaula —dijo el guardabosques.

—No es nada. Ya se le pasará —dijo Lucas.

—Y tiene las patas y las alas heridas de tanto intentar volar y chocar contra la jaula —dijo el guardabosques.

—No es nada. Ya se le pasará —dijo Lucas.

—Y no ha cantado desde que dejó el bosque —dijo el guardabosques.

—No es nada. Ya se le pasará —dijo Lucas.

Lucas no pudo decir nada más, pues el guardabosques lo metió en una jaula.

Dentro de la jaula, Lucas no podía estar de pie ni estirar los brazos, porque era un espacio muy pequeño. Como por arte de magia, un viento muy fuerte rodeó a Lucas y al guardabosques.

De repente, estaban en El Bosque del Pueblo. El guardabosques caminó hasta lo más espeso del bosque. Allí dejó a Lucas, solo y encerrado en la jaula.

Así pasó Lucas la noche. Tuvo miedo y frío. Gritó y gritó, llamando al guardabosques. Luego, lloró llamando a su mamá. Lloró hasta quedar ronco.

Entonces, desesperado, intentó halar los barrotes de la jaula. Los haló y los haló hasta que le salieron ampollas en las manos.

Triste, se recostó contra una esquina, hasta que se quedó dormido.

Llegó la mañana. Los rayos del sol lo despertaron. Vio cómo, envuelto en un fuerte viento, aparecía el guardabosques.

—¿Cómo estás? —preguntó el guardabosques.

—Mire mis manos, señor guardabosques. Están todas cortadas de tanto intentar abrir la jaula —dijo Lucas.

—No es nada. Ya se te pasará —dijo el guardabosques.

—Estoy ronco de tanto gritar —dijo Lucas.

—No es nada. Ya se te pasará —dijo el guardabosques.

—Estoy muy mojado por culpa de la lluvia y del rocío —dijo Lucas.

—No es nada. Ya se te pasará —dijo el guardabosques.

—Tengo mucho frío —dijo Lucas.

—No es nada. Ya se te pasará —dijo el guardabosques.

—Me duelen los brazos y las piernas, porque no puedo estirarlos —dijo Lucas.

—No es nada. Ya se te pasará —dijo el guardabosques.

—Déjeme salir, por favor. Mis papás tienen que estar muy preocupados —dijo Lucas.

—En tu casa hay más niños. ¿Cómo puede hacerles daño a tus papás que me lleve uno?

Lucas se dio cuenta de que el guardabosques le decía lo mismo que él le había dicho sobre el Julián Chiví.

Abrió los ojos, que había cerrado para recordar su pasada conducta. Quiso decirle al guardabosques que estaba muy arrepentido de haberse llevado el Julián Chiví. Pero no pudo decir nada porque, de pronto, se encontró en su cuarto.

Estaba acostado en su cama, protegido del frío por sus sábanas y rodeado de sus juguetes.

¡Había tenido una pesadilla!

Lucas le contó a su mamá la pesadilla. La convenció de que, esa misma mañana, emprendieran el largo viaje a El Bosque del Pueblo.

Cuando llegaron, faltaba poco para que anocheciera. Lucas abrió la jaula y el Julián Chiví salió a toda prisa.

El pajarito fue recibido por una multitud de Julián Chivís. Juntos, entonaron el más dulce concierto.

Muy cerca, el guardabosques miraba y sonreía, mientras movía la cabeza en señal de aprobación.

Si quieres aprender algo más, continúa leyendo...

© John Schwarz
www.birdspix.com

Estamos ante un bosque que pudo ser otra cosa, quizá, un enorme cráter de donde salen camiones cargados de oro, plata o cobre.

© Casa Pueblo

Pero la gente no quería que su bosque se convirtiera en una mina. Por eso, con la ayuda de la organización Casa Pueblo, lucharon en contra de que las montañas del municipio de Adjuntas y otros territorios aledaños se tornaran en un sitio de excavación. Les tomó quince años de denuncias y protestas salvar lo que, en honor a esta lucha comunitaria, se llama El Bosque del Pueblo.

Cada febrero o marzo, ocurre algo muy importante en este lugar: regresa el Julián Chiví, un ave migratoria. Es decir, un ave que, cuando El Bosque del Pueblo se pone muy frío, vuela sobre montañas y mares, y se va a Venezuela y a otros países de Sudamérica.

© Casa Pueblo

Cuando el Julián Chiví regresa de su travesía por el sur, todo el bosque lo sabe, porque el aire se llena con su canto tan particular: "Julián Chiví, Julián Chiví".

En los libros de Ciencias, al Julián Chiví le ponen un nombre muy raro: *Vireo altiloquus*. Esto se debe al verde olivo de sus plumas, así como a su canto fuerte y llamativo.

Casa Pueblo le organiza un recibimiento al Julián Chiví todos los años. Allí van niños de todo Puerto Rico. "¡Que viva el Julián Chiví!", gritan a coro. Como parte de las ceremonia, se abrazan a los árboles o se acuestan en el suelo, para sentir la magia del bosque. Le prometen respetarlo, junto con los seres que lo habitan.

© José Oquendo

Algunas recomendaciones...

Cuando vayas a un bosque, no lleves contigo ningún equipo reproductor de música. Podrías perderte la canción de algún pájaro o el concierto que produce el viento cuando atraviesa las hojas de los árboles. Evita llevar un videojuego portátil. Podrías distraerte entre los botones y la pantalla, y así, perderte el brillante color de una flor rodeada de helechos, la danza de las mariposas sobre la hierba o el perfecto vuelo de un ave que cambia de rama.

Cuando vayas al bosque, mejor busca un lugar cómodo donde sentarte, escucha y observa a tu alrededor. Fíjate bien que has entrado en un vecindario, en una comunidad. Claro que no encontrarás casas con techos, puertas, ventanas y marquesinas para los carros, como las que estás acostumbrado a ver cuando vas a la escuela o al supermercado. Y es que este no es un vecindario de seres humanos, sino de otro tipo. Fíjate y verás que un árbol es la urbanización de varios pájaros que decidieron construir sus nidos sobre las ramas. Verás que las raíces de ese árbol, quizá, sean otra urbanización, pero de hormigas. Y si te fijas con cuidado, te darás cuenta de que las flores son como restaurantes a donde van las abejas, los picaflores y las mariposas, para saciar su hambre y su sed. ¡Anda! Ve al bosque, obsérvalo y escúchalo. Está esperándote y tiene muchas cosas que contarte.